ソウル
ーター
2
D1484328
俺
様
最
高

ソウルイーター
むむ
フランケン＝シュタイン博士
「死武専」卒の最強の職人——
彼は手強いよ

SOUL EATER
ソウルイーター

第2話：補習授業（後編）

大久保　篤

CONTENTS

強いよ
本気で!
……
…
きゃはは♪

シュタイン博士…
父上の武器「デスサイズ」の初代パートナーの職人…
…

そいつの魂をあいつらに取って来いって言うんだろ?

でも お姉ちゃんなら楽勝だね♪
なんで?
な…!?
私はしがない武器だよ
パティーはお姉ちゃんをかいかぶりすぎだぞ
無難に即死だよ

補習にしてはその課題──……
きつすぎるんじゃないの?

……

間違いなく…
死ぬよ…
…

長居禁止

ここにシュタインがいるんだな
さっさと魂取って補習を終わらせようぜ
…
…
SOUL

じぃ～こ
じぃ～こ
研究所もつぎはぎかよ
？
チューチュー
チューチュー
……
じぃ～こ　じぃ～こ
…
一体シュタイン博士ってどんな奴なんだろ？

ガッ
ダーン!!
ギュイン
んワ?
ギィィイ…
ガラ
ガラ
……
何か来るぜ
ガラ
ガラ
ガラ
ガラ

ズべーン
ガッ
ぎゃふん
!!
ドキ

…………
…………

じぃ〜こ
じぃ〜こ
クソ!!
まだ調子悪いな…
じぃ〜こ
じぃ〜こ
う〜む
こんなもんかな…

ポン
ポン

OK
もう一回やらせてくれ
…
テケ
テケ

……

オイ だれか 止めろよ
だって 初対面だし…
俺は ちょっぴり 気になる
……
私も……

ふんぎゃ
ズッコケ博士!!

ごっ
何か用ですか?
ああ!! そうだった!!

お前がシュタインだな?
SOUL
お前の魂…食いに来た

……
ポン
ポン
あ〜あ〜はいはいそうですか

君たち「死武専」の生徒さんですね?

ぷんすか
あんたでしょ!?「死武専」生を襲ってるのは!!
何かうらみでもあるの!?

別に…動機はいたってシンプル
"観察""研究"ただそれだけです
"探求心"そいつが俺の原動力だよ
ギィ
この世のすべてが研究材料
もちろん俺自身もね♪

?
ピクッ

ねェ――ソウル？
何か変な感じしない？
ん？
そうか？
フヨフヨ
クイクイ
フヨフヨ
ヘラヘラ
君たちの「魂の波長」はずいぶん安定してないね

ひねくれ者で皮肉屋の魂
と
まじめでがんばり屋さん
共鳴してるようでしていない

何!? 生きてる人間の魂が見えるのか!? お前…職人!?
しかも性質まで見抜けるなんて超一流の職人よ…
ヘラヘラ

ピッ
マカ？
お前もバッチリ
見えてるんだろ!?
なっ!!
………
も……
もちろんよ…

ああ…ああ…！
うるせエー
うるせエー!!
ベベン
ベン
ひゃっはー☆
凡人どもの目立たねェー
会話は終わりだ!!
これからは俺中心の
前衛的な会話に
なるだろう!!
？
いつの
間に…

アラ？
ずい分魂が
動揺して
いるね
か〜わいいっ♡
うるさ〜い！
見るなア〜!!
ヘラ
ヘラ

魂が見える
見えねェーなんて
知んねェーけどよ！
ダッ
他人の魂なんか
知ったことか!!

俺は
俺の魂が
見えてりゃ
それで良し!!!

はっははは
君は
スゴイなア〜♪

ものすごく
自己主張の激しい
魂ですね

ダッ
ひゃはっ☆
君のような魂に合う武器はなかなかいないんじゃないのか？
ガッ
うお!?
ぐるぐる
ゴッ
ぐっ!!
ブラック☆スター!!
ズドド
うぶべ!!
チラッ
!?
ああ！なるほど
君が彼のパートナーだね

協調性が高く人を受け入れる器が大きいね
うんうん
君が彼の「魂の波長」に合わせてあげているのか

……
何者だ……お前……

さ〜てと ある程度データは取れた
俺の魂が欲しいんだろ?

実験を始めましょうか?

だ～はっはっは♪
お酒きれちゃったよォ～
カランカラン
パパさん
ペース早いなぁ♪
ちょっと待ってね
パンパンプキン
パンプキン
ヒョイ♪
ポンポン

キャバクラ
チュパ♡キャブラス

ブレアちゃんは
今日でお店3日目でしょ
もう慣れてきたんじゃない？
にゃは
ありがと♪
ピッ
パパさんは今日
学校に行ったんでしょ？
どう？ マカとは
うまくやれた？
………
………
うるうる
にゃ？

無視された…
ずーん
ありゃりゃ
今日はたまたまマカのクラスをうけもったんだけど無視されたよ

あの子パパが何をやってもプンスカ怒るんだ
クス♪マカったらかっわいいっ♡

あ♪でもでもォ先月に離婚も正式に決まったコトだし
気持ちを切り替えてね♪
ガッツ!!

切り替えるって言ってもさぁ〜
親権も完全に向こうのものだし……かみさんは…
イヤ…元かみさんなんて〝慰謝料〟も〝養育費〟もいらないって言うんだぜ…
俺はマカの何なんだよ…パパはパパにしてパパにあらず

そんなコトないわよお金を出すのが親の役目じゃないんだしさ♪
ファイトッ♡
お金だって一つの愛の形でしょ？マカのために何もしてやれないなんてヒドイよ…

じゃあここは一を十にかえて
離婚の原因になった女ぐせの悪さをいかして新しい奥さんを見つけちゃおう!! イェイ!!

………そんな…
再婚なんて全然考えられないよ
ぐすっ

こんな最悪な日々…
シュタインと組んでた時以来だ
ダメでしょ～…ブレアちゃん……お客様ヘコませちゃ～…
にゃはは♪

ガッ
う～ん…

ブン
ヒョイ
鎌職人のマカ……

グン
う!!

ドン
いたっ…
ガラ
ガラ

いっ!!
ゴロ
う～ん

……
な~んだった
かなァ~~?
鎌職人のマカ…
どこかで
聞いたような…
いってェ~

あっ!!!

君!! スピリット先輩の
娘さんですか?
!!
ガタ
ガタ

あいつとの日々は
ホント地獄だったよ…

スピリット!?
パパが"デスサイズ"に
なる前の名前よ…
でも
何でそれを
知ってるの?

ヘラ
ヘラ
今でも
思い出す
なぁ~~♪
先輩の
寝顔――…

あいつ…
あいつ…
俺が寝てる
間に――…

人体実験をしてやがったんだ!!
♪
♪
ヘラ
ヘラ
ZZZ
ZZZ
しかも5年間っ!!

ご…5年間もっ!?
よく気がつかなかったわね
すっご〜い♪
パパさんったらどんかんさんっ♡
クス♡
ヨヨヨ
ヨヨヨ
変だと思ってたんだ!!
身に覚えのない傷が増えていくから…

元かみさんが気づかなかったらいまだに続いていたかもしれない!!
あの悪魔の実験が!!

は〜は〜…そうか君が先輩の愛娘かぁ〜…
俺の研究材料を奪った女の娘ー…

ギラリ

ゾワ

ヘラ ヘラ
君を解体したくなった♪
でも5年間もパートナーとしてやってたんでしょ？
「魂の波長」は合ってたんだね♪
………
あいつは相手の武器に少しでも好奇心がわけばある程度使いこなせる！
センス・実力なら俺を作り上げたかみさん…イヤ元かみさんよりはるかに上……
シュタインは天才職人だよ！
グッ
ただの掌底だ!!ガードするぞ!!
うん！
カ
ピニ

な…？
な…何…？
あいつ…何しやがった…
…
くう…!!

信じられん…
武器は物理的な
攻撃力はもちろんあるが
むしろ職人の「魂の波長」を
増幅させ　ぶつけるものだ
それなのに
あの男―…
自分の「魂の波長」を
武器を通さずに
相手に打ちこんだのか?

うん!
職人と武器は
エレキギターと
アンプ(スピーカー)の
関係に似ているからね
シャカ♪
シャカ♪
ギブリン-SG
エレキギター(職人)だけで
出せる音(魂の波長)は
ごく小さいものだけど
――…

アンプ(武器)をつなげる
ことによって
「魂の波長」を増幅させ
大きな力を生みだす
ズ
ン

「魔女狩り」…
死人先生とのバトルで見せたあの技がいい例だね…
まあ失敗に終わったけど

でもシュタイン君は…自分の「魂の波長」を
ギター一本で聞かせたんだ……
…

何てことだ…
この男が武器を持ったトキの姿が想像できん……
じぃ〜こ じぃ〜こ
チョキ チョキ
さてと…どこからバラそうか…
ヘラ ヘラ

カタ カタ

どうした? マカ!!
しっかりしろ!! 呼吸も波長も乱れてるぞ!!
SOUL

ああああ!!
待て!! マカッ!!
スッ
パ
ゴプッ
バカやろう…
ギュ
!!

んん……
フフ…スベスベの肌だね〜

マカ…

プチプチ

ズッ

キュ
まずはどこからメスを入れようか？
皮膚を全部紙やすりに変えてみようか？
!?

メガネかち割んぞ／テメェー!!
俺様の存在忘れんなよ!!

ザザン
無駄だ

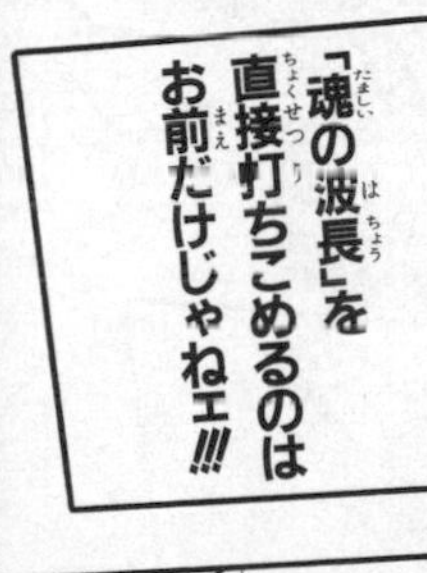
「魂の波長」を直接打ちこめるのはお前だけじゃねェ!!!

何!!

オオオオオオオオオオオオオオオオ!!
ド
必殺!!!
ド

黒☆星ビッグウェーブ!!
すげェ!!
なんと―…
…
さすがだね♪
ブラック☆スターの
「魂の波長」は
けたはずれに
大きい―…
それに「魂の波長」を
打ちこむコトに
関しては
天才的だ――…
だが――…

キャリアが違うー……
こいつは驚いたね

!!
どういうことだ!?通じてねェー!!

君の魂のデータはさっきチェックしましたからね
相殺された…!?

エエ…「魂の波長」の性質がわかれば俺の方で波長を合わすコトができる
波長が合ってしまえば何の攻撃力もなくなるからね
君が技を繰り出した瞬間君と俺はいわば〝職人〟と〝武器〟の関係になったワケだ

……

そんなコトできるのか!?

観察…対応――…
柔軟性の高い魂…シュタイン君の一番の強みはそこだ――…

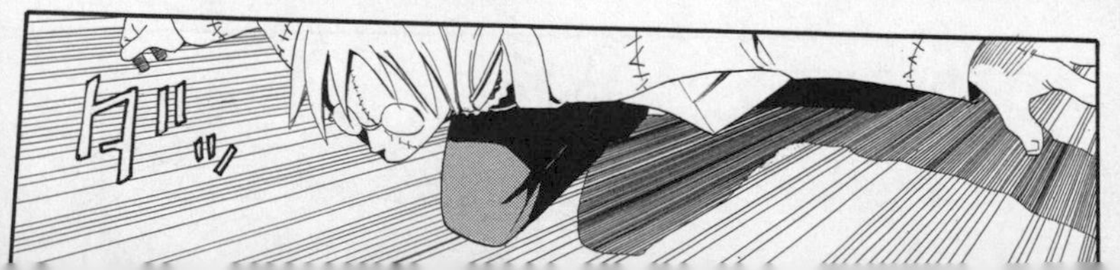
ガッ

メキ
メキ

!?
おおお
おおお
おおお
ゴゴゴゴゴ
!!
ブラック☆スター!!
やめろォオオオ!!

死著
23
ブラック☆スター!!!

クソ！
耐えられん!!
リズ
パティー
俺たちも
行くぞ!!
お…おう…
ほ〜い♪
!!
コラ…
待ちなさい
キッド

これは
あの子たちの
補習だよ
それに君は
死神だ
「死武専」の
生徒じゃない!!

なら 今から
俺らも「死武専」の
生徒になるよ
父上――…
生徒名簿に記入
お願いします
リズ！
パティー！
……
おう…
ほい
ほい
ウキウキ
ワクワク
ちと
ちと
君たち…
・・・・・・

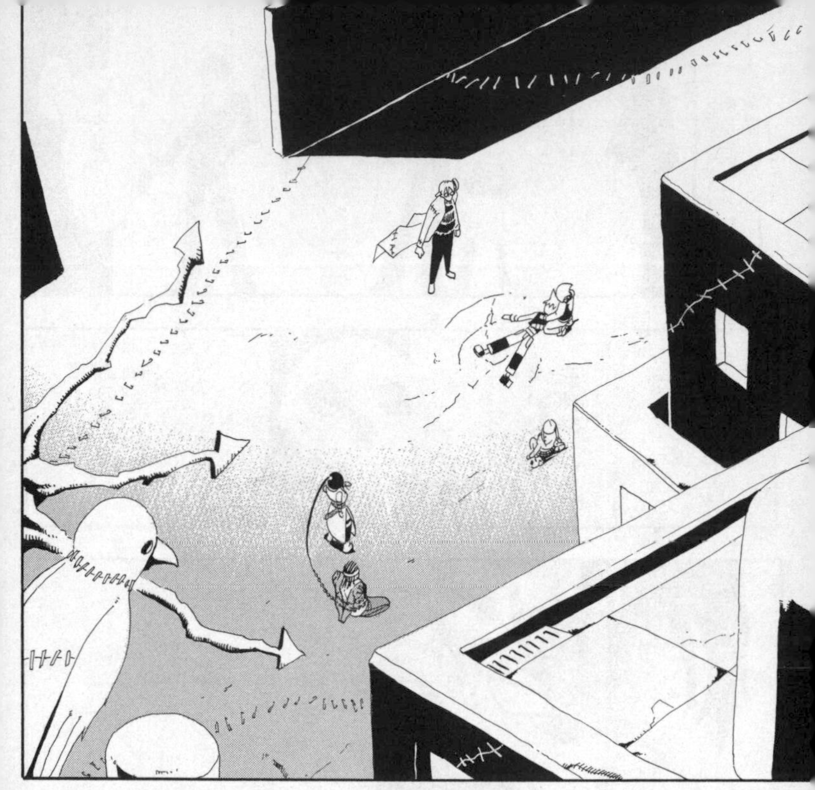

ブラック☆スター!!

…
ジャラ
死蘢

椿……俺は逃げも隠れもしない!!
俺はそういう男だった!!

行ってやりな

シュタイン!!
テメェー!!
許さねェー!!
マカ!!
気合入れるぞ!!
うそ…
ガリ
ガラ
?
どうした!?
見え……
ちゃった…

?
SOUL

ゴォォォ

ォォォ
フフ…
魂が見えたようだね

……そんな…
レベルが違いすぎる…

オイ！どうした!? マカ!!
はぁ
はぁ

はぁ
ポタ
はぁ

はぁ
はぁ
はぁ
はぁ

……ダメ…
勝てない…

クソ…
鬱だ…
死のう…

…
あ～あ
またかよ…
ポリポリ
きゃははは♪

何と
いうことだ…
もしかして
トイレットペーパーの
端を三角に折り忘れた
かもしれん……
…

かも
かも！
だろ？
いつも
ちゃんと
できてる
じゃねェかよ！
だいたい
神経質
すぎるんだよ！
お前は!!
もう！

早く行かないと
あいつら
やられちゃうよ!!
トイレットペーパー
なんか
どうでも
いいだろ!!

どうでもいいコトないだろ!!
トイレットペーパーの端もまともに折れないまぬけな死神が助けに行ったところで救いの神とはとても言えん!!
ぐで〜
あいつらだってぜひお引き取り願いたい気持ちでいっぱいになるだろう
きゃははは♪
ドタ♪
ドタ♪
そんなコトないって!!笑顔で迎え入れてくれるって!!

じゃあ こうしようぜ
ダッシュで確かめに戻って…猛ダッシュで助けに行こう!!
ずるずる

……
……

いやだ…
ぐで〜…
何で!!?

もしちゃんと折れてなかったらどうする…!?
トイレットペーパーに俺という存在全てを否定されるのだぞ!
そうなっては生きてゆけん!!
きゃははは♪
じゃあ死ね!!

どうした!!
しっかりしろ!!

何やってんだよバカヤロー!!

うるさいっ!!
ソウルは魂が見えないからそんなコト言えんのよ!!

ヘラヘラ
……
それが何だってんだよ

お前が見たのはただの魂だろ!!
未来が見えたワケじゃねェ!!

戦う前からあきらめるな! 魂集めて俺を最強のデスサイズにするんだろ!!
女たらしのアホ父親を「ぎゃふん」と言わせるんだろ!!

顔を上げろ!! 今俺がしゃべってんだ!!

…

あいつをよく見てみろよ
ズパー
ヘララヘラ
お前がグズグズしてんのに待っててくれてんだ!
けっこういい奴じゃねェかよ

…
クス♪
おし!!
COOLに行こうぜ!!
ごめんソウル!!手間かけさせた
あいよ

ヘヘラララ
行くぞマカ!!

魂の共鳴!!

ピニィ!!

「魂の共鳴」――…
職人が武器に
「魂の波長」を送り
それを武器が
増幅させ
また職人に送り返す…
それを繰り返す
コトによって
強大な「魂の波長」を
生み出すことができる
ピンッ

フィィィィィ
オオオオオオオオ!!

限界まで
共鳴
させるぞ!!
うん!!
驚いたな――…
その歳で
「魔女狩り」が
打てるのか…
カチャ
一撃に
かける気だね
ィィィ
ィィィ

鎌職人伝統の大技!!
来い!!
お前らの魂見せてみろ!!
魔女狩り!!!

「魔女狩り」を
ここまで制御できるとはね
──…!!
ピキ
はああああ
ああ!!

ああっ!!
しかし――…
まだ荒い――…

ソウル――…
ドサ‥
カラン
カラン
ぜぇ
ぜぇ
ぜぇ

かろうじて意識はあるようだね
ぜぇ
ぜぇ
ぜぇ
スッ
!?
ぜぇ
ぜぇ
シュ
ザ
俺の職人に手出しはさせねェ――!!
ぜぇ
それでは君から――…
ガッ
SOUL
SOUL
ぜぇ

合格点を
あげましょう
補習授業
おしまいで～す♪
ポンポン
へっ？

身をていして職人を
守るなんて
なかなか
いいですねェ～♪

あの～
もう一度
言うけど―…
へっ？

いやね…
頼まれたんですよ
死神様に
君たちの
補習をみてやって
くれって

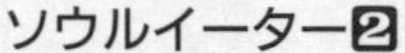

でもブラック☆スター殺したじゃん…
ビシッ
ひゃははは おもしれエーコト言うなお前エー

生きてる……
あせ
あせ
じゃあ死人先生は…?
悪かったな お前ら…
人をダマすような マネは しない男だったんだが——…
それも 生前の話だ

ふざけんな!! 何だこのクソ話は!! 全部ドッキリかよ!!
ガーン そんな…
ほほほ
でも成長したじゃない

ブルブル
それにしてもチビッコをどつきまわすのはなかなかおもしろかったね
ヘラヘラ
サディスティックなのは本物か!!

さあ! みんな! 今日は疲れたろ? 遠慮せずにウチに泊まっていきなさい♡
ぜったいにイヤ!!

朝!!

死武専!!

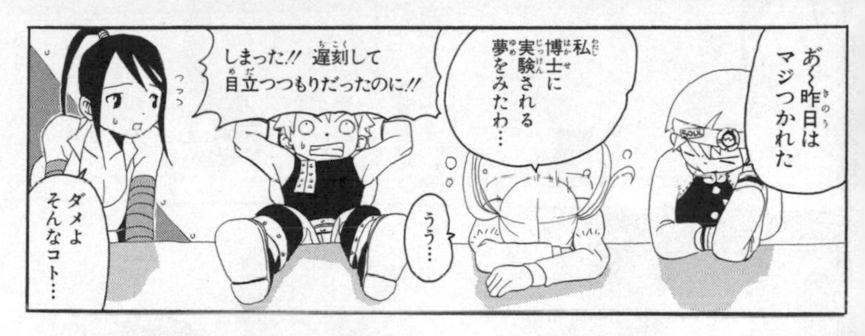
あ〜昨日はマジつかれた
私 博士に実験される夢をみたわ…
うう…
しまった!! 遅刻して目立つつもりだったのに!!
ダメよ そんなコト…

ガラ
ガラ

そういやぁ〜新任の先生決まったのか?
またお前の父親だったりして
それはかんべん!!

カツ!

ふんぎゃ

はい♪ じゃあ授業始めま～す
ウソだろ…
私初めてかも…「パパに会いたい」って思ったの……
チッ あいつ目立ちやがって
……

早速今日はカエルの解剖をしますね～

ソウルイーター

SOUL EATER

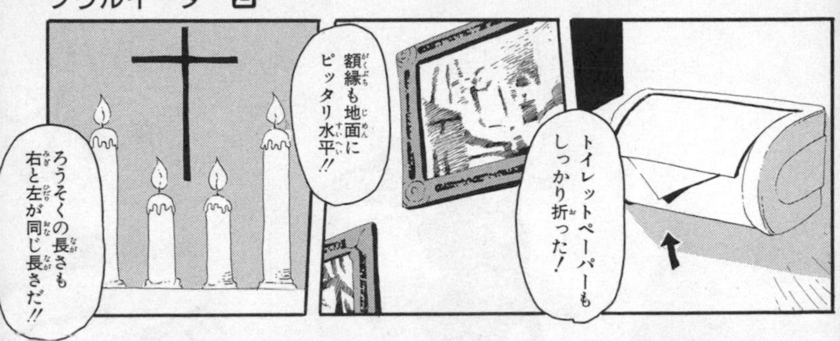

トイレットペーパーもしっかり折った!
額縁も地面にピッタリ水平!!
ろうそくの長さも右と左が同じ長さだ!!

いいかげんにしろよ…
イラ
キッド…
イラ
ウキ♪
ウキ♪

左右対称!!
〝左右対称〟こそ俺の美学!!

さあ!! 俺たちも今日から学校だ!! 行くぞ♪ リズ! パティー!
もうろ時間も遅刻だよー…

SOUL

第3話："新入生"と"魂観察"

死武専!!
KIーLLコーン♪
カーンコーン♪
KIーLLコーン♪
カーンコーン♪
今日の授業は
なんと!!
解剖実験♪
エエ〜!!?
またぁ〜!!?

はい……
シュタイン博士が担任に
なってから解剖の授業しか
してないんですが——……

フフ…今日はいつもの
カエルやらマウスとは
違うモノをバラしちゃうよ♪

今回
切ったりとったり
くっつけたりする
実験体は…
くけ〜
天然記念動物!!
すごいだろ♪
………
………

…………
あの〜…それ…絶滅寸前の貴重な鳥なんですけど——…

俺がバラす前に絶滅されたら困るだろ!?
ヘラ ヘラ
ダメだ この人——…!! メチャクチャだ…!!

?
そういえばソウルとブラック☆スターがいないけど——…どうかしました?
二人ならいつものサボリです
!!
まったく あのバカコンビは… あいつらでチーム組めばいいのよ

悪いな椿——…
……
今日からソウルの職人になるぜ!

ダメよ!! マカちゃん!!
な…何が? どうしたの…!?
?
?
困りましたねェ〜 みなさんもう知ってると思いますが…
今日このクラスに「新入生」が来るんですよ

へ〟
今日オ!! 俺はァ!!
暗殺しなければならない奴がいる!!

死武専正面玄関前!!
へ〜…
べべン

今ァ!! 死武専はァ!!
ある一つのウワサでもちきりだ!!
死神のダンナの息子が入学するらしい!!
俺様のウワサ以外で盛り上がるのは許せねェ!!
あぁ… お前はそういう奴だよ
キョロ
キョロロ
っつーか そのクソドラ息子はいつ来るんだ!?
もう3時間も待ってんぞ!!
ZZZ ZZZ

コッ
コッ
コッ
ニコニコ♪
ずっとストリートで育ってきた私ら姉妹が学校に通えるなんて♪
よかったね♪ パティー
うん♪
-うれしいぞー コノヤロー!!

うむ♪
すばらしい!
さすが父上(ちちうえ)の学校(がっこう)
みごとな〃左右対称(シンメトリー)〃だ
L
R

んあ?
SOUL
おお!あんたらがウワサの息子(むすこ)さん一行(いっこう)?
ん?
校内(こうない)の案内(あんない)は君(きみ)がしてくれるのかな?

がはは！
新入早々遅刻して案内しろだぁ〜？
やっぱ親の七光りってのはエライのな？
俺もあやかりたいですよ〜
ピクッ
何？
七光り…？

〝7〟はよせ!!〝8〟にしろ!!
へ？
はあ!?
8
7
〝7〟は半分に切っても左右対称にならん!!でも〝8〟はどうだ？縦に切っても横に切っても完璧な左右対称!!
おるん
おろろ

〝7〟はよせ……
〝8〟にしてくれ…
たのむ……
ガクッ
オイ…コイツ大丈夫か!?
イヤ…ダメだよ…かなり…
きゃははは♪

ひやっはあ〜☆
ベベン
ベベン
?
ヤイ!!
死神の息子!!
俺はお前を
暗殺する!!
そして明日の
ウワサはこうだ!!
俺より目立とうとする奴は
誰であろうと
許さねェ!!
「やっぱりねェ〜。
ブラック☆スターは
ついに神を超越した」
っとな!!
天上天下
唯我独尊!!
明日の俺には
後光が射す
だろう!!
メキッ
うお!!
ボキ

ああぁあぁあぁ!!

つッ
タ
俺のBIGな存在に耐えきらなかったようだな
どうりで時代がうねるはずだぜ!!

プル
プル
よくも左右対称をくずしたな!!

あ〜あ やっちゃった…
たははは♪

かかってきな!! しっかり見とけよ 俺の暗殺術!!
タン
タン
タン
プル
プル
"暗殺"ってのは見られちゃダメだろ……

ゴゴ
虫酸が走るわ!!
死神と喧嘩して魂の保証はできんぞ!!

リズ!! パティー!! 銃に変身しろ!!
ほ〜い
ケンカなんてストリートで暮らしてたトキ以来だぜ
売られたケンカは買うぜ!!
行くぞ!! ソウル!!
だ〜…
…!! 売ったのはお前だろ…
それに…何? 俺も参加しちゃってんの!? このイベント!!

チャッ
よっと
やるからにはぜってェー勝つぜ!!
オウヨ!!
最強コンビの結成だ!!

ちれ
SOUL
じゅる

ドギャン!
!!?
!!?

な…何?

博士!! ソウルとブラック☆スターが誰かとケンカしてます――……
まったく…

ソウルのバカ…何やってんの…
シュタイン博士…校内で職人どうしが決闘する場合教職員が一人以上立ち会わなければならない校則になっていますが…

ああ～そうだったね

ではソウルとブラック☆スターのパートナーであるマカと椿は俺と一緒に来なさい
あとは自習
どうもすみません…
はい!

ドン
ドン
こわ!!
あわわ!!

キュン
キュン
キュン
タッ
タッ
クソ!!!
接近できなきゃ
らちがあかねェ…
何だ
接近戦が
やりたいのか?
いいだろう…
ガッ

ガ
なめやがって…

スタッ
おら!!
ギ
バッ

ゴッ
SOUL

カチッ
やべェ
ソウル

ドン

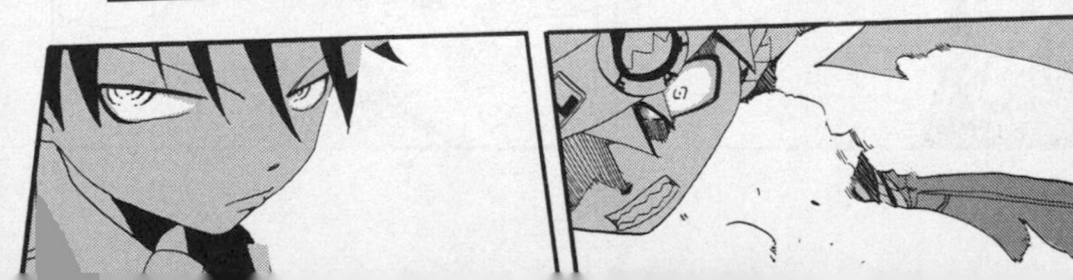

うお～～
くそ～～
まじ
いてェ～～

きゃははは♪
私らは弾丸を撃ち出すだけのただの銃とは違うぜ!!
職人の「魂の波長」を圧縮して撃ち出してるのさ

ガラ
ガラ

あらあら
まぁ～相手が悪いかな
博士――…あの銃を持った男の子がみんなでウワサしてる…

エエ…死神様の息子デス・ザ・キッド君
本人の希望で本校に入学するコトになったんだけど…やっぱり実力は頭一つ抜けているな

それでは先日「魂」が見えるようになったマカさん？
？はい？

君には特別授業を受けてもらいましょうか？

エ……
………
はい…

まぁ〜まぁ〜そんな気を張らずに簡単な質問ですよ
はい！
ダン
ダン
……
それでは!!あそこで戦っているキッド君と武器の二丁拳銃……彼らの「魂の波長」はバッチリ合っていますか？

ピイイイイイイイイ
…はい…
…
普通は2つの武器と「魂の波長」を合わせるのは非常に難しいはずですがとても安定しています

オオオオオ
お互い尊敬し合っている…
…いや…違うな…
あこがれ？
ですか？

すばらしい！正解です♪
「二丁魔拳銃トンプソン姉妹」――…彼女たちはストリートで育ってきた生い立ちからキッド君のような気品のある魂にあこがれています

そしてキッド君もまた――……
神経質な自分の性格とは違う
おおらかでポジティブな魂の
トンプソン姉妹にあこがれを
いだいています

いいチームですね♪
すごく
ですね♪

友情パワーを炸裂させるトキがついに来たな!! 相棒よォ!!
オウヨ!! 予測不能無限大パワーだぜ!!

来い!! ソウル!!

友情!! 合体!!

変!! 身!!
とうっ!!

それと比べて あの二人は…

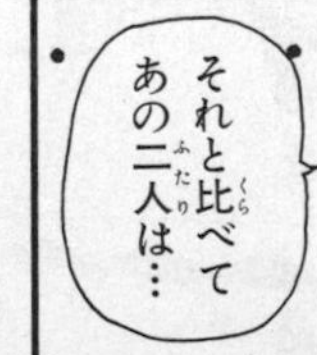

ザ
ク
ッ
NOー!!
ぶっしゃ～…
頭でキャッチしてどうすんだよ!!
ぴゅ～…
あ～～クソッ!!
しっかりしてくれよ…
何だコレ……!!
メチャメチャ重ェ～…
ギ
ギ
そんなはずねェだろ…
マカが軽く振り回してるんだぜー…
……
……
うや!!
典型的な「魂の波長」が合っていない状態だ…

クォの!! クソボケ
鎌野郎があああ!!!
ドゴ
ピシッ
ぐべら!!!
ぴゅ〜〜。。
ぎょっ!!
俺に「魂の波長」を打ちこんでどうすんだよ!!
ああ… 悪ィ…
ダメだ… ありゃ!
相手の波長をまるで感じとれていない
まあ…今のはそれ以前の問題だけど…
〝職人〟と〝武器〟は敵と戦う前にパートナーの魂と向き合わなければならないからね
SOUL
俺たち…終わりだな…
エ?

別れよう…
…ど…
…どういうコトだよ…ソウル――……
……
このまま近くにいたら…俺――…お前のコト嫌いになっちまいそうだよ――…
オイ…撃っていいのか?
待ってやろうぜ♪おもしれェじゃん
…そっか――…
…俺たち…別れても友達だよな…?
……

だき!!
バッキャロー!! あったりまえじゃねエーかよう!!
ソウルゥ!!

ボ
ばるさ!!
ボ

プシュ~…

しゅ~
エーと…
すまん… 手がすべった

だがブラック☆スター!! 一度うけたケンカだ!!
行くぜ!!
SOUL

オウ!! 勝つまではおりられねぇ!!

来い
次で終わらせてやる

ウォオオオ!!
タ
ン
テメェーにも
波長を打ちこんで
やる!!
ヴ
なっ!!
オ
タン
!!
ザ
ツ

ぐはっ!

体術の得意な
ブラック☆スターが
あそばれている――…
こんな相手に
武器のソウルが
行ったところで…

スピードも
キレも
あまい――…

このやろ!!

がっ
ドッ
ドッ

何!?
ギュ

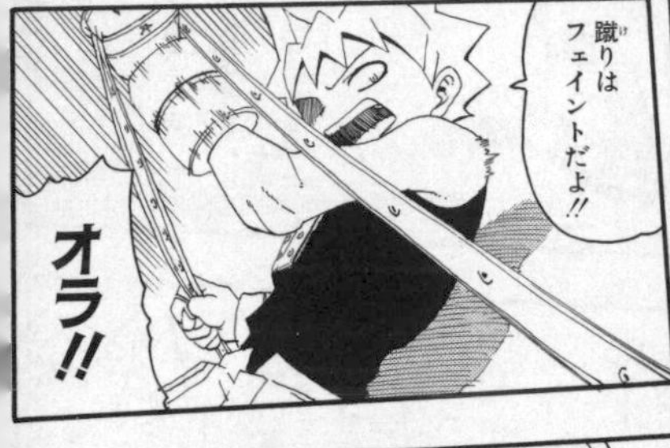
蹴りはフェイントだよ!!
オラ!!

クッ
ズ
ザ

うおりゃあああ!!
オ
!!
オ
オ
オ
崩した!! ソウル!! チャンスよ!!

ズ
ジャーン
げっ
何やってんの!?
へたくそ!!
あわっ
ス
フン!!
グ
シャ
うお!!

……
あのガキ…
マジ
殺してェ~
ズズズ
プル
プル

お前らに死神の力を
見せてやろう

ボ
ン

魂の共鳴!!

な…何…?
魂がふくれ上がった!!
本領発揮ですね
オラァー!!何でもこいやぁ!!
俺こそ神だぁ!!
魂が見えてない人たち

死刑執行モード
取得
…！うお！
オイ…何かやばくないか!?
お前ェーなんかな!!「金玉ぞうきんしぼりの刑」だ!!げひゃっはっはっは!!
共鳴率安定──
ノイズ0.3%
ゴゴ
ゴゴ
ゴゴ
黒針に「魂の波長」チャージ完了
フィードバックまであと5秒──…
リズ
2─…
二人
3─…
二人
1─…
二人
撃てるよ♪
パティー

デス・キャノン
オイ!!やばい!!やばいぞ!!
ぐへ!
MB
けっ
バカバカしいー…そんなもん俺様に効くかよ

ゴゴ
ぶべ!!
B
ブラック☆スター…
あ〜あ何やってんのよ…
完敗だな
フッ
さすが死神様の息子さんだ他の職人とは潜在的に持ってる力が違う
まさに格の違いを見せつけられた感じだね

でいばっ!!

バターン
？
？

はあ!?

ヘラ
ヘラ

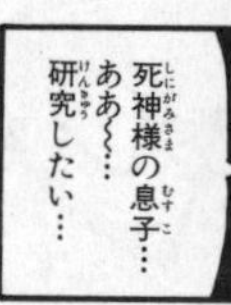
死神様の息子…
ああ〜…
研究したい…

あ…
ヤバイ……
ありゃりゃりゃ

あら？
なにごと？
あ〜あ
こりゃ
ダメだな
きゃは
はは♪
……エエ…
それが——…

ソウルが最後に
出した一撃
ありましたよね
………

そのトキ前髪が少し切れてたらしく…
爆発の後…それに気付いたキッド君はバランスがくずれただのシンメトリーがどうだの言った後に血をふき出して倒れました…

それからキッド君は一週間寝こみ入学そうそう一か月間も休学するコトになりました――…その後はカウンセリングに通いつつガンバって通学しているみたいです
これって俺たちの逆転勝利だよな♪
ああ! 俺は神を超越した!!
フッ・・・
後光よ!! 俺様を射してもいいんだぜ!!

ブラック☆スター!! 大丈夫!?
どうよ! 神を超えた俺って!
う…うん すごいね♪

よう

ああ
よう

「あんまりダッセェ戦いしてんなよなァ～」！
コレ ソウルがいつも
私に言うコトバ…

がはは♪
俺の方がCOOLじゃねェ～な

お願いだからムチャしないでね
俺にムチャなコトなんて無いぜ☆

やっぱりブラック☆スターには椿ちゃんじゃなきゃダメだね
ああ…
そうだな

ほらっ
!

ポ
ン
おっ
悪イ…

うっす！ ちゃっす うぃ〜す
おつかれさ〜ん♪

おお!! 生死神様だっ!!
こんにちわ!!
いやぁ〜
息子の初登校っつーコトで来たんだけどさぁ〜

うっす！
しゅばっ!!
ちゅ〜す♪
まったく…キッドは…困ったもんだね…
あわわ…

そういえば死神様の魂ってどんなのなんだろう…
…
ごくっ

ヒイイイイン
見てみよう…!
それじゃ〜みなさん
今日はキッド連れて
帰りますわァ〜
ばははは〜い
おう!
またな
…!
あれ?
見えない…!?

どう言うコト?
やっぱり
死神様には
魂がないの…?
でも息子の
キッド君には
あったし…
見るコトも
できた——…

……

う〜ん…

まっ…
いっか♪
オオオオ

ゴオォオ

SOUL EATER

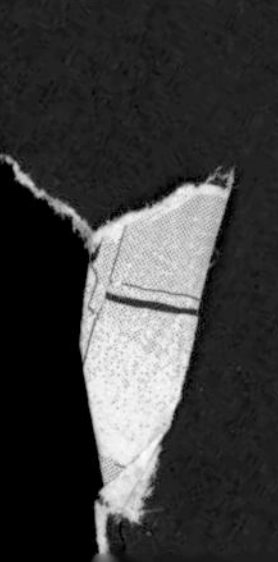

フィレンツェ
サンタ・マリオ・ノヴェラ教会
ドーン
ドーン
ディィーン
ディィーン
ドーン
ディィーン

魔女メデューサ
あなたたちこそ…
究極の武器と職人の形よ
オウ…何だテメェーは…
たくさん魂を食べなさい
サンタ・マリオ・ノヴェラ教会内部───…
オウコラ!!
ディン ドン
ディン ドン
…

んなー…
まだまだですよ…
「鬼神」はこんなものじゃない…
魔剣士 クロナ
魔剣 ラグナロク
ネーク スネーク コブラコブラ…
だから何なんだテメェーは!?
大丈夫よ自信を持ちなさい
あいつ誰としゃべってんだ?
ヒュルル

クロナは「鬼神」になる存在よ…
ルロロロ
ピ

フフフフ
アハハハ

ヒッヒヒヒ…僕は鬼神だ!

俺たちの根城に入って来て ただで帰れると思ってんじゃねェーぞ!! クソガキ!!

サンタ・マリオ・ノヴェラ教会は公共の場所…
君たちに与えられた

か
てくれるよ
でしょ？
ねェ？
ラグナロク

モコモコ

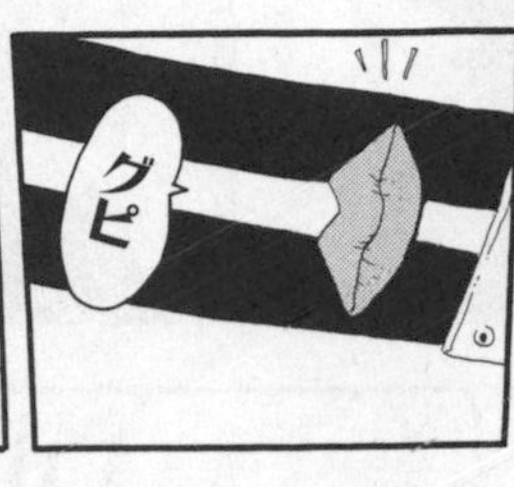
グピ

モゴモゴ

ガパ
ぴいエエえええ

ぴぎイエエいいいあああああ
な…何だ あの剣…
う……
せエ～……
ねェー みなさん？ 何か楽しいコト あった？
この教会の扉は 内側に開くんだね？
アハハ…昨日のアレ おもしろかったなぁ～…
アレって 何だっけ？
キョロ
キョロ
キョロ
キョロ

それに 僕の血は黒いんだ
しゅん…

ああいいいいぎぴゅういいいいええ

第4話：魔剣（前編）

クソ!!
武器職人か…

エメラルド湖の
殺人鬼
ソンソンJ
お前の魂
いただく!!

きたねェーぞ
何でお前らばっか人を
殺したい放題なんだよ!!
ずりィ～よ～
ずっちィ～よ!!
13TH

ドパーン
別にやりたい放題やってるわけじゃない
ズパ
?
これで課外授業のノルマ達成ね
オウ! 3つ目の魂!!
13

バクーン
SOUL
COOLにいただきます!!

モキュ
モキュ
SOUL
……
ねェー ソウル？
魂っておいしいの？
ああ！うまいぜ!!
味は別にないんだけど
歯ざわり…特に喉ごしが
たまんねェ♪
ゴクッ
くううう…♪

へぇ〜…
そういえばさ…
ブラック☆スターたちも
「魂集め」うまくいってる
かなぁ？
あいつら万年0個の
補習マニアだからな…
ダメじゃねェ？
…椿ちゃん
かわいそう…

ブラック☆スターは
やる気の方向性が
「魂集め」とずれてる
からなぁ〜…
クッ
ピ

さてと…
帰りますか？
ちょっと下で待ってろ
今バイクまわしてくる
…
…
待って
ソウル…

ん？
どうかしたか？

……
あの
教会──…
ディン
ドン
ディン
ドン

オイオイ…
観光なら別の日に
してくれよ…
ディン
ドン
違うって…

何だろ…この感覚……
たくさんの
たかぶった魂が──…
くう…ノイズがひどいな…
集中しろ…集中…

……
武器
職人
教会から〝武器〟と〝職人〟の「魂反応」が一つずつ…それをとり囲むように人間の魂が50から60…

お前…そんなコトもわかるのか?
…こんなの初めて…

たぶん大勢の人間は毎晩あの教会で大騒ぎしている不良集団「マテラッツィ」よ…
でも それがどうしたのか?
「マテラッツィ」は確かに評判は悪いけど死神様のリストに入る程の悪人じゃないの

そんなもん ほっとけよ…別に狩ろうとしてるとはかぎらねェだろ
今夜はサタデーナイトだぜ みんな仲良くフィーバーしてんじゃねェーの?

バカ!! 無責任なコト言わないで!! 「死武専生」として見逃せないわ
何かやな感じがするの!! コトが起こってからじゃ遅いでしょ!?

ハイハイ わかったよ けどさー
ブロロロロ
ブラック☆スターが人集めて「俺様のBIGなショーの始まりだぁ☆」的なオチだったら泣くぜ 俺
ザザザ…
それだったらいいんだけどー…
着いたぜ
サンタ・マリオ・ノヴェラ教会…
ディンドン

好きだねェ〜 ゴシック建築!!
魂ゆさぶるCOOLな建物だ♪
ディィンドーン
ディィンドン
SOUL

ピ
クッ
!!
そんな!!
ありえない
!!?
イ…
どうした?

ディンドン
……
どういうこと…
一瞬で──…
ディンドン

ホントごめん
だけど…俺
お前のペースに
ついてけねェーよ…
……
消えた…

ああ! 鐘がか?
止まったな
違う…
五 六十個の人間の
魂が一瞬で消えたの…
〝職人〟と〝武器〟を残して…

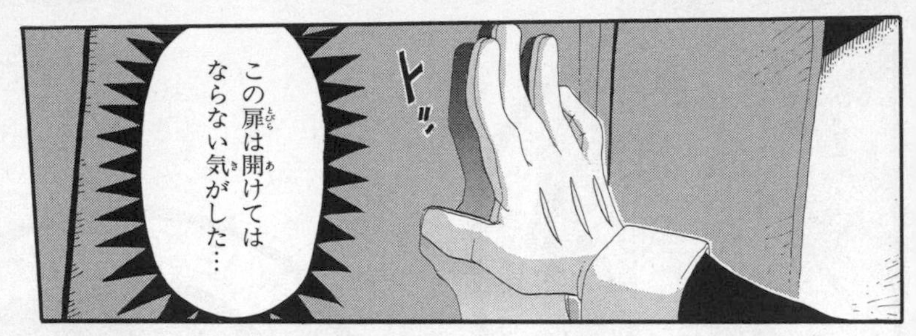

〝職人〟と〝武器〟が入ってはならないエリア

人知を超える〝鬼神〟の領域…………

………………………………!!!

でしょ…!?
そこの扉内側に
開くんだよ…

…
こいつが…!?
一人しかいないぜ…
パートナーは
どうした?

こんなコトって…
魂の反応は職人と武器
しっかり2つ——…
目の前にある…つまり…

あいつの体の中に
〝武器〟がいる…
何!?
メデューサ様ー…
何か二人
来ましたけど…
うるさいなぁ!
ラグナロクは
だまってて…

死武専!!
DISPENSARY
保健室
うかつだった…
ム
シャ
マカが課外授業中だったとは——…

マカに会うためにはどうしても死武専に来なくてはならない!
だが この学校には俺にとって大きな障害がある

フランケン=シュタイン!!
ゴ ゴ ゴ ゴ
ヘラ
ヘラ
ただ娘に会いたいだけなのに何てでかすぎる壁なんだァ

だがパパは負けないぞ!!
この壁を乗り越えたトキ
パパの〝愛〟がマカの中に
無限に広がるはずだ!!

でもその前に
ここの女医さんに
傷ついた心を介抱して
もらわなくては!!

これ必須!!

やぁ先輩
捜したよ
どしぇぇえええ!!
シュタインンン!!

ガクブル
ブクブル
何の用だか知らねェーけどな!!
お前につけられた実験の傷跡は完全に消えた!!
もうお前なんか怖くねェぞ!!
へへ～んだ!!

じゃあ足の中指を右と左入れ替えといたのも気づいた?
ピクッ
はあ!!?

ガバッ
バカか!? お前は何てコトしやがる!!!
ポイ
ポイ

ドキドキ

ウソぴょ～ん
……

～～～～
いや～でもマカちゃん大きくなったねェ～
ピクピク
先輩が結婚するって聞いたトキ正直不安だったんだよ「絶対うまくいきっこない」そう思ってた――…
だけど幸せそうに寄り添う先輩たちを見て確信したんだ
大丈夫！
この二人の愛は永遠だ!!ってね
……………
テク
テク
ん？
え～と…その…お前は知らないかもしれないけど…
実は俺たち…先月離婚したんだ…
ポリポリ
プッ♪
知ってる♪
……………
クソ!!テメェーはブッ殺してやる!!
やめろって…俺はケンカを見逃せない!!そんな男だった!!
ヘラヘラ
あ～～～そうそう

魔剣が現れた

どういうコトだよ
マカ…
あいつの中に
"武器"がいるって?
気をつけて…
出てくる…
んんんん…

まあああああああああ
!!
モコ
モコ
ひぎイええいやぁあああああぁああぁ
まぁあぁ…
……

グピピピ
ピググググ
……
コォオオオオ

すこ〜ん
あう
ちょえ

痛い！痛い…
ぐり
ぐり
グリグリやめて…

ごん ぐり ごん ぐり
あう…こづかないで…
痛いよ もうやめて…鼻つままないで…

やめろよ テメェー!!
いいかげんにしろ!!

う〜〜 う〜〜
ハイなクロナはおっかないね〜
ぶん ぶん
……
しゃ…しゃべるんだ…

あなたたち死武専の生徒なの!?
死神様のリスト以外の魂をとるコトと魂の乱獲は禁じられてるはずだよ!!

ガッ
グニグニ
〝死武専〟? 何それ? あの人が食べていいって言うんだ…!! 何がいけないのさ…

…僕… 女の子と話するのニガテだな…
ポッ
それより あいつの魂うまそうだ

死神様に言いつけてやる!
ビシ
ビシ
やるぜクロナ

うん…
パシャーン

黒い液体になった…
ダッ
下から突き上げてくるぞ!!
ヴ
ガバーン
あっ

オォォ
この!!
ガッ

君(きみ)もこづくの…
!!
ガッ

ゴッ

いけるぞマカ!!
やあああ!!

フフフ

ガン
!?

エ!?

そんな斬撃じゃあ——…

ピシュ
僕を両断できないよ

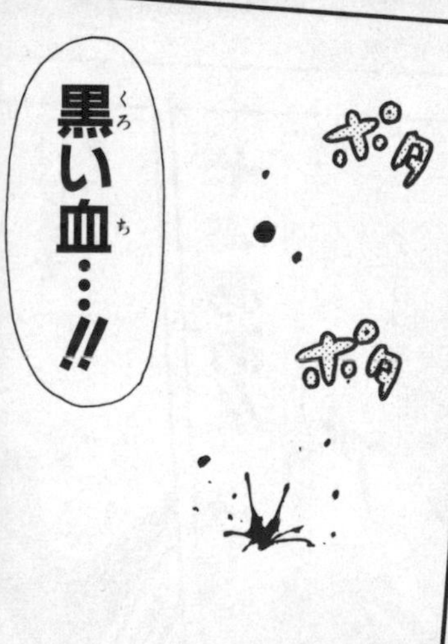
ポタ
ポタ
黒い血…!!

そう…
僕の血は黒いんだ…
チャッ
ど…
ども…
!!

ダ
タ
タ

あいつの体…
どうなってんだ?
……
私が思うに―…
あいつの血液自体が
〝武器〟だと思うわ
だから皮膚は裂いたけど
血が硬質化して
血管で刃を止められた…
それじゃあ
ダメージが
与えられないのかよ?

斬撃じゃあ
分が悪すぎる…
「魔女狩り」でも
届くかどうか…
私もブラック☆スターみたく
「魂の波長」を打ちこめれば
直接体内にダメージを
与えられるのに…

クロナ
何を悠長に
やっているの?
だって僕―…
女の子とどう接したら
いいのか
わからないのです…

バカね—…
殺せばいいのよ
シュルル

何だ? あいつ…
誰としゃべってんだ?

そっか
殺せばいいのか
気づかなかったよ…
髪に指をからませて
遊ぶのを見たくない?
キョロ
キョロ
そこの扉———…
内側に開くんだよね…

ラグナロク…
ギャッ
悲鳴共鳴

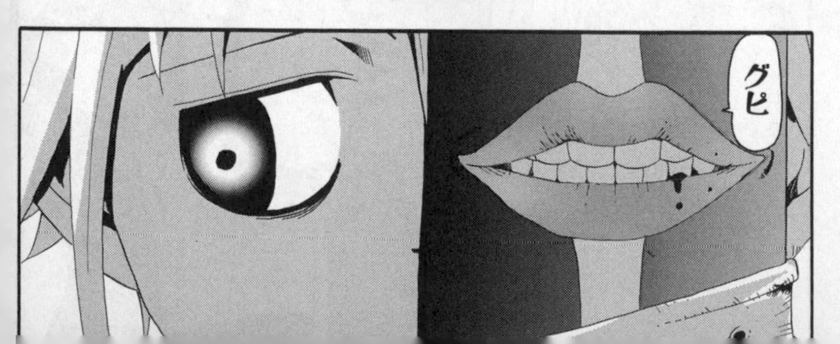
グピ

くう!!?
うるせ…
ザリッ

ギャアアア

ゴ
ウ
くっ…!!

ダン
わぁあああ!!
きいええいあ
いいいぴゃあ

ああァアエエエィイイィイ

イイぎぴひゃあァあァアァア
大丈夫!!? ソウル!?
ドッ
このっ!!
そんなこと気にしてんなよ!! 俺は職人のために死ぬ覚悟ぐらいできてるんだよ!!
それにしてもヤバイぜあの刀身!
悲鳴で振動を起こしてものすげェー電ノコ状態だ!!
ヴゥゥゥゥゥ
ダッ
——…どうする… ガードもできない ダメージも与えられない… ——…うかつだった…
ここはいったん逃げるしかない!!

アアアミャアアアアエエィエイイイイ
オオオオ

ドン
!!
しめた!! 出口!!

グ

グッ
ダメじゃないか… ちゃんと辺りを把握しておかなきゃ…

イぴぎぇえぇエエエエえぇええ
……!!
しまった…
そこの扉は内側に開くんだよ
マカ!! ガードだ!!
でも! それじゃあソウルが!!
ビジャッ

ソウルイーター

SOUL EATER

SOUL

ソウル!!
さあ…クロナ…
とどめよ
殺して魂を
食べなさい
グピ
合点了解
です

やだ……
ソウル…
……
バカヤロ…
早く逃げろ…

では…

ザッ

SoUL
P
1
2
3
死

第5話：魔剣（後編）

SOUL EATER

オ
ソウル…
オ
ごめんね…
私のせいで——…
オ
オ
ドッ

ドン

エ？ 何事!?
僕のカラダが…

!?

メキ

シュタイン博士(はかせ)ー…!!
ガッ!!
ガ
ガ
それじゃあこの刃(やいば)は…
ザ
ツ

ザン

パパ参上!!
どうだマカ!! このパパの勇姿を!! しっかり焼き付けておくれ!!

シュタイン博士! ソウルが!
応急処置は施した だけど適切な処置を施さないと危ないな
バサ
見てないのね…

しかし「鬼神」と言ってもまだ卵…
案外あっさり終わったな

ぷくり

傷口の血を固めて止血したぜ!! オイ!! お礼は!?
ぐぴっ
うん… ア… アリガト…
「ございました」は!? ボコるぞ!! テメェー

……
へェ…

シュタイン博士… 何なんですか? アイツらは? あんなの見たことがない…

……
「鬼神」… "死武専"ができた理由だよ…

〝死武専〟ができた理由……!?

頼んだよ
シュタイン君…
デスサイズ君と一緒に
どうか魔剣が
「鬼神」に目覚める前に
止めてちょーだい
はい
そのために僕を
〝死武専〟に
戻したのですから
おまかせください

……
もう二度と
「鬼神」を
生むわけには
いかない

さて…さて…
一仕事
しますかね

オウ!!
ゴゴ

オラ!! クロナ!! な〜にダラダラやってんだよ!!
さっさとしねェーと今夜 一時間おきに起こすぞ!!
ぐりぐり
ヤダ!! やめてよ!! また目の下のクマがこくなるじゃないか…!
僕…クマとどう接していいかわからないよ…
〝死武専〟最強の職人とデスサイズ…クロナがどこまでやれるか…
いい実験になるわね…
やりなさいクロナ…!!
ジ
ジ
先輩? あの魔剣ふせげるよね?
俺を誰だと思ってんだよ!! 一児のパパだぞ!!

何年振りかねェ〜
お前とコンビ組むの
ははは…
お互い年をとりましたね
……それを言うなよ…

僕 頭にネジが刺さってる人なんて初めてだよ…
どう接したらいいかわからないよ…
ダッ
食え!!
かたっぱしから食え!!
わからないよぉ!!
ガッ
ッ
わっ…
ぐい

ゴン
魂威(こんい)!!
ドン
バチン
"魂の波長"を打ちこんだ!! アレならアイツの体内に直でダメージを与えられる!!
がはっ…
ズ
もう一発!!

ド
ス

……!!
何…!? あのトキ流した血が……!!

!!

モコ
モコ
モコ

ブラッディー・ニードル!!!
ドドドドド

博士…!!

血の一滴一滴が武器になるのか!? 何なんだ!! あの性能は!?

はあ
はあ
魂の乱獲によって造られた魔剣…!! ここで止めないと確実に「鬼神」になるぞ!!
それとあの職人と魔剣の魂…

内向的な職人の性格を
いじめっ子体質な武器が
押しこめている感じだ
今はまだ
クロナが
ラグナロクに
反発してるから
まだいいが
完全に飲みこまれた
トキが危険だな…

それにあのまとわり
ついてる蛇はなんだ?

オイ!! コラ!!
また今の技
くらったら
クツにガビョウ
入れんぞ!! オラ!!
そんなぁ~…
ガビョウの入った
クツとの
接し方がわからなきゃ
お外に出られない
じゃないか…!?

ダッ
わぁぁぁ!!
ガン

これが
シュタイン博士の
格闘スタイル…
武器は完全な
盾代わりにして
ガードした後…
即座に左の!!
魂威!!!
ガガ
ン
すごい!!
ズシャ

!!
ホヨン
ヨン

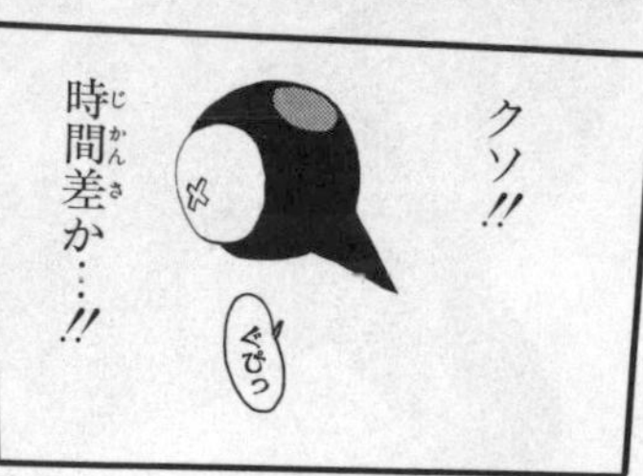
クソ!!
時間差か…!!
ぐぴっ

ぐっぴゃああ♪
死ね!! ネジメガネ!!
はあ
はあ

くっ…
ズ
ギ

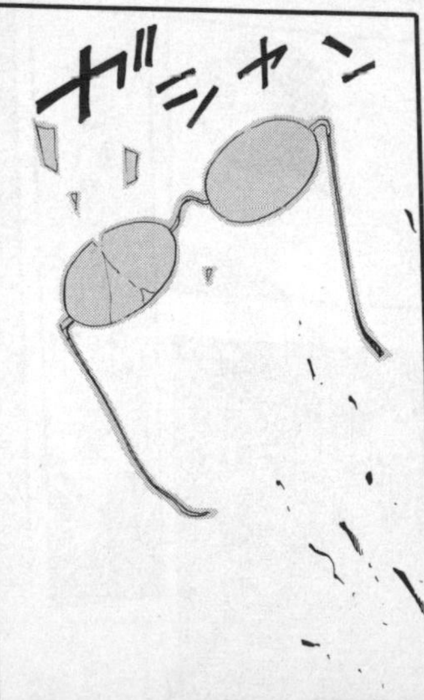
ガシャン

博士!!

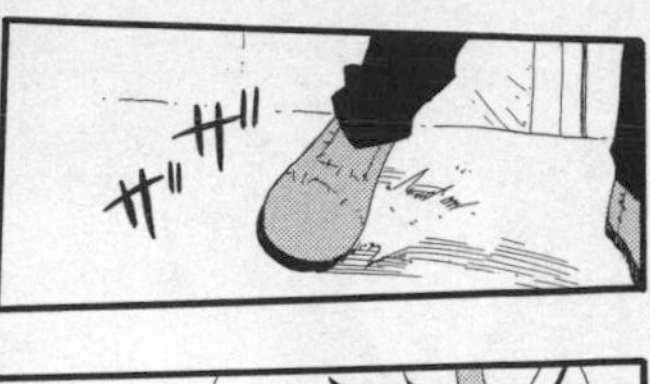
ザザ

ヘラヘラ
ボタ
解剖するぞお前!!

あら?
ぐぴ
ぐぴ
ぐぴ
ぐぴ
ぐぴ
ぴぎゃいあぁああ!!

これで終わりだぁ!! クソネジ!!
ブラッディー・ニードル!!

先輩!!
グ

オウ!!

魂の共鳴!!!

実験霊体!!
あんまりですぅ〜…
プス
プス
プス
プス
プス
ぐやぴ〜!! これでも捉えきれねェか!!?
はぁ
はぁ
おう!?
いねぇーぞ!! クソネジ どこ行きやがった!! ど畜生があぁ!!
はっ
はぁ
はぁ
クル
クル

ゴ
ッ
クソ!! 脳を揺らされた!! 早く目ェ覚ませ!!
ピヨ
ピヨ
次の「魂の波長」くらったらやべェぞ!!

オ
オ
うっわ～☆星が見えるよ☆星との接し方わかんねェ～～
オ
星との接し方なんかとりあえず自然を大切にしておけ!! だから早く目ェ～

二掌魂威

双槍!!
パリーン
ミャーン

またハリが来る!!

ガシャン
いや…終わったよ
かわいそうだがとどめだ…

ポタ
ポタ

……
まあ…こんなものか…もっと実験をつまないと…

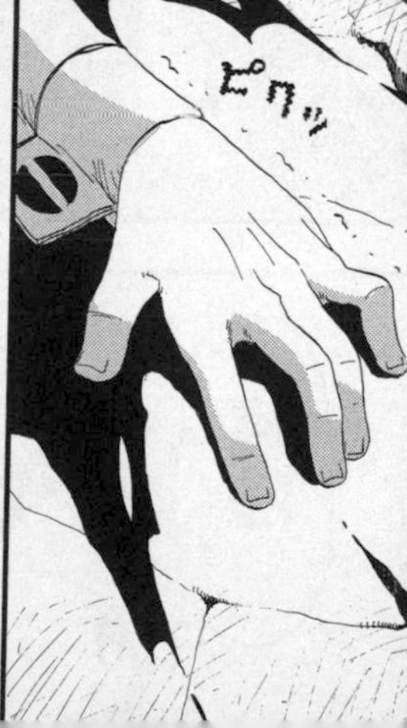
ピクッ

!!

まあああああああああああああ

ぴぎいえええいええ

何だ!?

……拒絶反応が起こっている…

さっきまで一体化していた「魂の波長」がバラバラだ…

ゴゴゴゴ
限界ね

ソウルプロテクト
解除

ビカ
!!!!

いつの間に…!?
急に〝魂反応〟が現れた!!
……!!
この反応!! 魔女か…!!

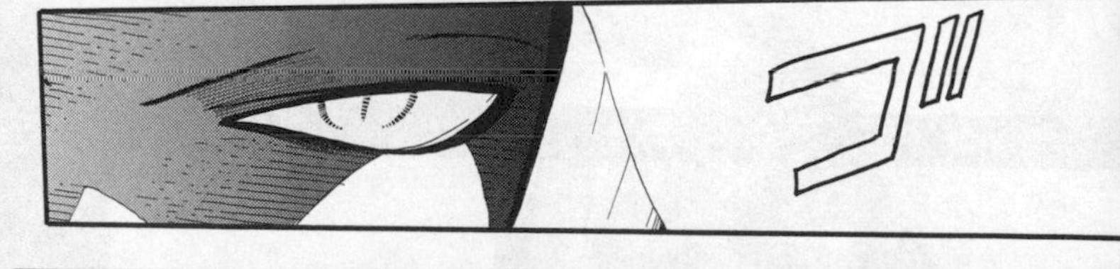
ゴ

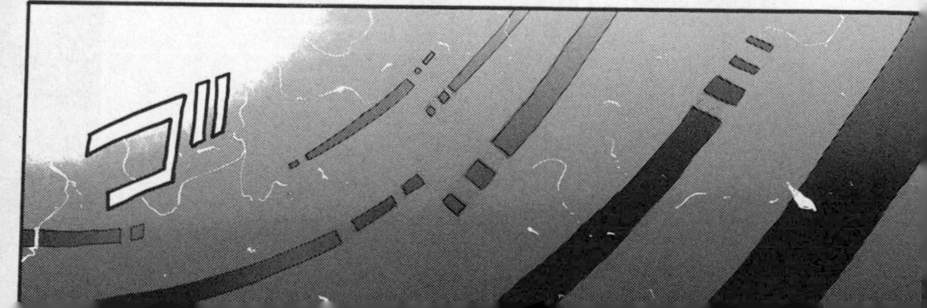
ゴ

魔女だと…!?

しかもあの魂…
ハンパじゃない…
あの子の体に武器を
入れたのもあの魔女か…

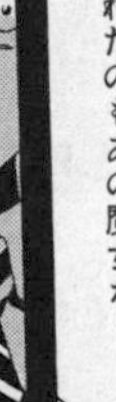
……
あれが魔女の魂…!? でも何で…?
さっきまであんな強力な魂…
感じられなかった…

ソウル
プロテクト
一部の魔女が使える
上級魔法だよ
ソウル
プロテクト？
protection
自分の魂のまわりを魔法で包み
波長を完全に消したり
普通の人間の魂のように
カムフラージュしたりする魔法だ

あれが
ホンモノの
魔女…
あんな奴を
倒して
ママはパパを
デスサイズに
したの…？
おしおきよ
まったくクロナは
だらしがない
帰ったら
おしおきだわ
ネークスネーク
コブラコブブラ
その前に
あなたたちも
クネ
クネ
クネ

ベクトルアロー!!

魂の共鳴

魔女狩り!!
チリ
チリ
ふふ…
さすがね
シュルル
シュバ
パ
ク
今日のところはこのへんにしておくわ

待ちやがれ!!
いや…いい…

深追いはやめよう
ソウルが心配だ…

……ソウル…

ポンッ

…

パパ…

さぁ…
帰ろうか…

KIーLLコーン
カーンコーン♪
課外授業どうだった？
うん♪
けっこういい感じだったよ
マジで!? アタシ明日絶対補習だよ〜
SHOWER ROOM
死武専シャワールーム
補習ならマシじゃん
一つ星のソウル＝イーターって子が今日大ケガで運ばれたってさぁ
ウッソ!! それやばくない!?
!!
エ…
ソウル君が…!?

DISPENSARY
保健室

ガ
チャ

シュタイン博士!!
ちょこん
あら?
ずっとそこで待ってたの?
シャワーでもあびてくれば
よかったのに

どうなんですか?
ソウルは……
ヘラ
ヘラ
手術は成功です
後は安静にしてれば
大丈夫でしょう

よかった♪
ありがとう
ございます!!
ギュ

あの〜
ソウルの顔
見て来ても
いいですか?
ああ…
良いですよ

はい♪
ギ
ャ

…
変な作り笑いしてんじゃねェよ…
ん?

でっ
ホントのところソウルの容体はどうなんだよ?

………

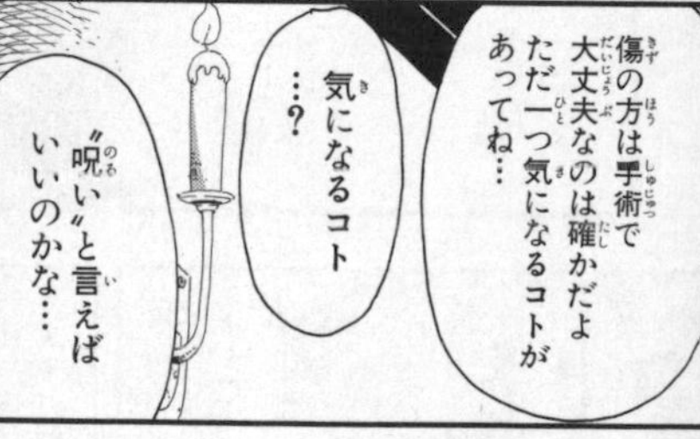
傷の方は手術で大丈夫なのは確かだよ ただ一つ気になるコトがあってね…
気になるコト…?
〝呪い〟と言えばいいのかな…

〝呪い〟? どういうことだよ? 大丈夫なのか?

魔剣ラグナロクの〝黒い血〟がソウルの血液にまざってしまっているんだ

今のところどうなるかは不明だよ

ソウル…

俺の職人に手だしはさせねェ!!
ごめんね…
コポ
俺は職人のために死ぬ覚悟ぐらいできてんだよ!!
私のために――…

ずずっ
待っててね 私もソウルみたいに 強くなるから!!

ドッ
びくっ
!!?

大丈夫か!! ソウル!!!
ウオー!!
…

しっかりしろ!! 俺様が来てやったぞ!! 目を開けろ!! 俺の笑顔はハッスルの源だぜ!!
ぶん
ぶん
ブラック☆スター!!

マカチョップ!!
ごめんなさいマカちゃん…
ぴゅ～
ぐじぐじ
へへ♪
あらあらドア壊しちゃって…
カッ
!!

にょろ。
ずいぶんにぎやかじゃないの♪
あっ
メデューサ先生こんばんわ!!
ペコリ〜ン
オウ!!ソウルを見に来たのか?

掲載・月刊少年ガンガン平成16年7月号〜10月号

元気だして!!
マカちゃんはもっと
強くなるワ!!
ぽ
つ
……!!
はい!!
ソウルイーター2 おわり

ソウルイーター

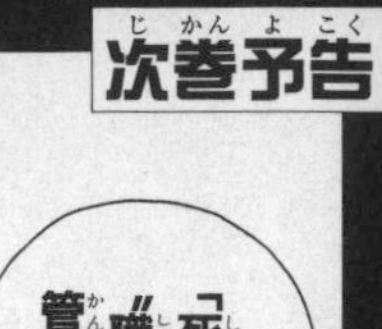
次巻予告

「死神武器職人専門学校」は
〝職人〟と〝武器〟を若いうちから
管理し教育する場所さ…
二度と〝鬼神〟を
生まないようにね
“鬼神”になる可能性を持った者は、
まだいる───…。

いやあああああああ!!
!!
マカ!!

大丈夫！
やな夢を見ただけだ
死武専に潜む魔女メデューサの陰謀…!!
ラグナロクの黒血が混ざったソウル＝イーター…この子も研究対象になりそうね…
ごくりっ
聖剣エクスカリバー…
興味しんしんだぜ！
そして、勇者にしか抜けない伝説の聖剣とは!?
さぁゆこう!!
ともに!!
[ソウルイーター] 第3巻へ続く!!

あつし屋従業員
アッシャー(店長ちゃん)
ユウ=サン
(バーテンちゃん)
?
塩沢ペス人
(ネズミちゃん)

ここは免疫力に自信のある奴らが集まる場所
「あつし屋」……
あつし屋

…

USHER
HATE
CLUB

USHER
HATE
CLUB
アッシャー・ヘイト・クラブ
(訳)
アッシャー大嫌いクラブ

何なんだ!!
お前らは!!
よってたかって!!

それにだれだお前は!?
なぜ俺を嫌う!?
まだ俺と一言もしゃべってねェだろが!!
いや～…
ユウ=サン側の方が勝ち組だと思いましてね

きいえええええええ!!
俺は店長ちゃんだぞ!! こんなバーテンちゃんより エライんだぞ!! 俺の味方になれ!! いいか!? わかったか!?
はい〜…じゃあ そういうコトで〜

う
ふん!!

…………

USHER HATE CLUB
ケケケ

そうか… お前らのコトは よ〜くわかったよ…
せっかく今回はこの 「あつし屋マンガ」を 4ページに拡大して 君たちと親交を 深めようと思ってたのに…

いいさ… 俺にも考えが ある……
お前たちなんかもうマンガに 出してやらん!! 次のページから 担当ちゃんからボツくらったマンガを 勝手にはじめてやる!! うへへへへ…
オォォォォォォ

51
トーカン
う〜む
今日も
ヒマねぃ〜〜〜
ラリ
ジャギシャシャシャ
シャシャ…
ジャギ

うえ〜ん
聞いてくれよ
ラリ〜……
ん？
パンクガイ？
どうしたねぃ〜
理髪店のオッちゃんに
ランシド風モヒカンに
してくれって言ったのに
つるピカにしやがった!!
テカ
テカ
これじゃ〜
ツッパレねェ〜よ
死にてェ〜よ
だれか
コロシテクレ〜!!
まかせろねぃ!!

チャ

ちょえす!!
サクリ

ぶぅーーん

わ〜い♪
モヒカン
ありがとう!!
楽々
ちんちん
ねぃ〜〜
ジャギシャ
シャシャ

どうだ？
くやしいだろ？
別に。
「このマンガおもしろいだろ？」の
問いに
「別に。」な方ー…
またの御来店を!!
あっし屋

[SOUL EATER]

vol.2

by OHKUBO ATSUSHI

The jet-black SOUL, Walk with me

YOUR SIDE

ガンガンコミックス

ソウルイーター2

2004年12月22日 初版
2012年7月18日 37刷

著　者　　大久保 篤

発行人
田口浩司
発行所
株式会社スクウェア・エニックス

〒151-8544　東京都渋谷区代々木3-22-7　新宿文化クイントビル3階
〈内容についてのお問い合わせ〉　TEL 03(5333)0835
〈販売・営業に関するお問い合わせ〉　TEL 03(5333)0832
FAX 03(5352)6464

印刷所　図書印刷株式会社

Printed in Japan

ISBN4-7575-1322-4 C9979